KU-169-937

Bout *en* Moertje

Bout *en* Moertje

Nicole de Cock

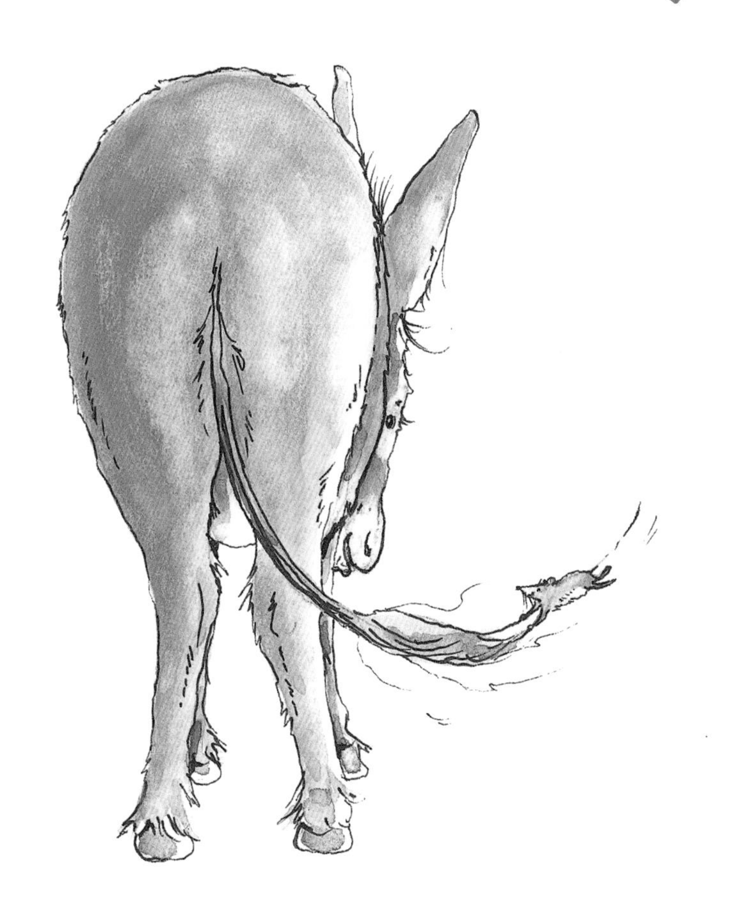

Gottmer · Haarlem

Voor Picotin en Eulalie, mijn ezelvrienden

Dit is Bout.

En dit is
zijn vriendje
Moertje.

Moertje doet heel veel
voor Bout: spelletjes
bedenken,

tanden poetsen,

voor schaduw zorgen
op warme dagen, want...

echte vrienden doen
alles voor elkaar!

Eten brengen,

haren kammen,

vlooien zoeken, want...

echte vrienden doen
alles voor elkaar!

Hoeven
borstelen,

oren wassen,

staart invlechten, want...

echte vrienden doen
alles voor elkaar!

Voorlezen,

dansen,

droog houden, want...

echte vrienden doen
alles voor elkaar!

Naar problemen
luisteren,

en naar grappen,

een sjaal breien voor als het koud is, want...

echte vrienden doen
alles voor elkaar!

Moertje helpt Bout met kleine stapjes

en met hoge bergen...

Maar wat doet Bout
eigenlijk voor Moertje?

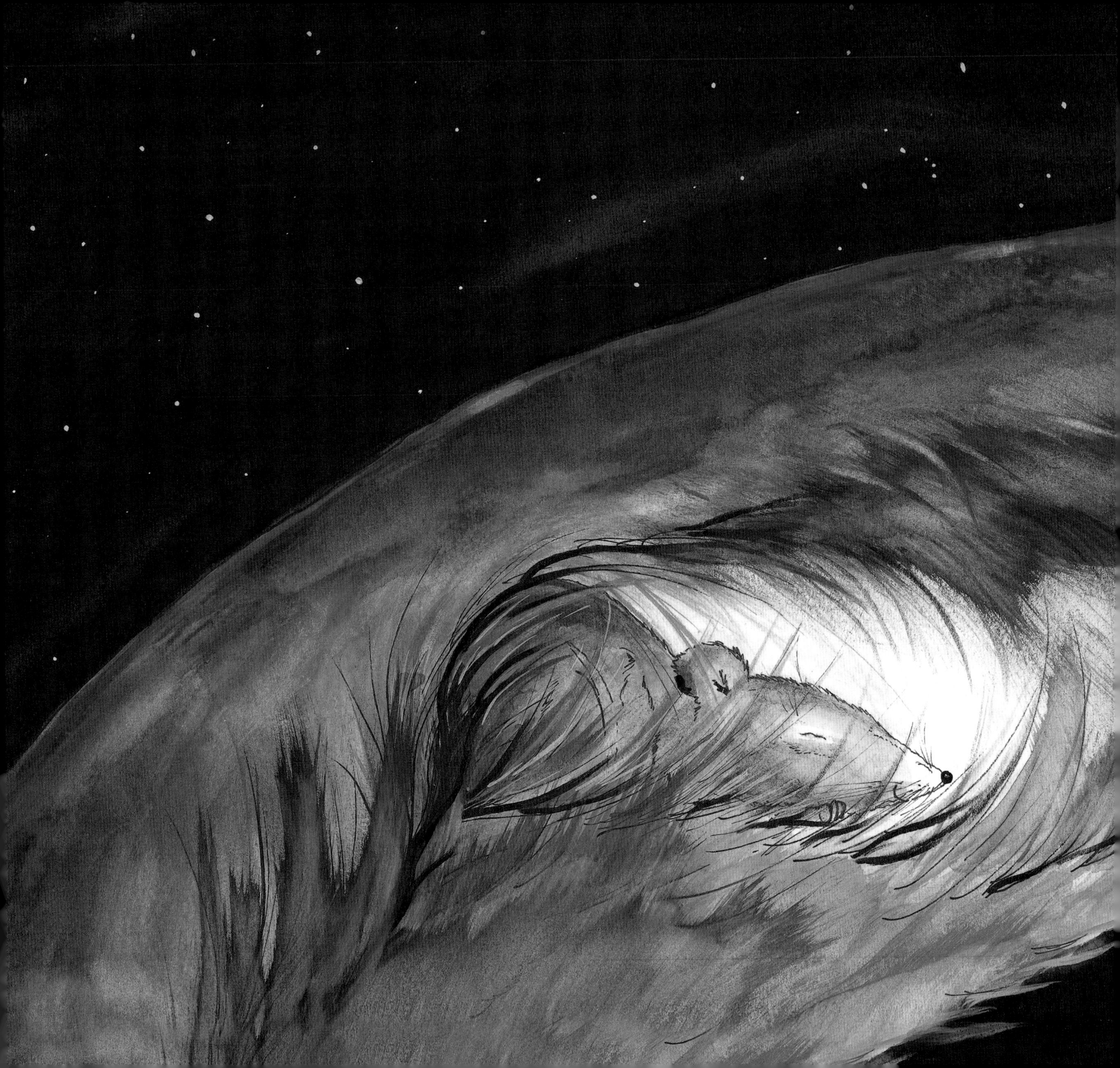

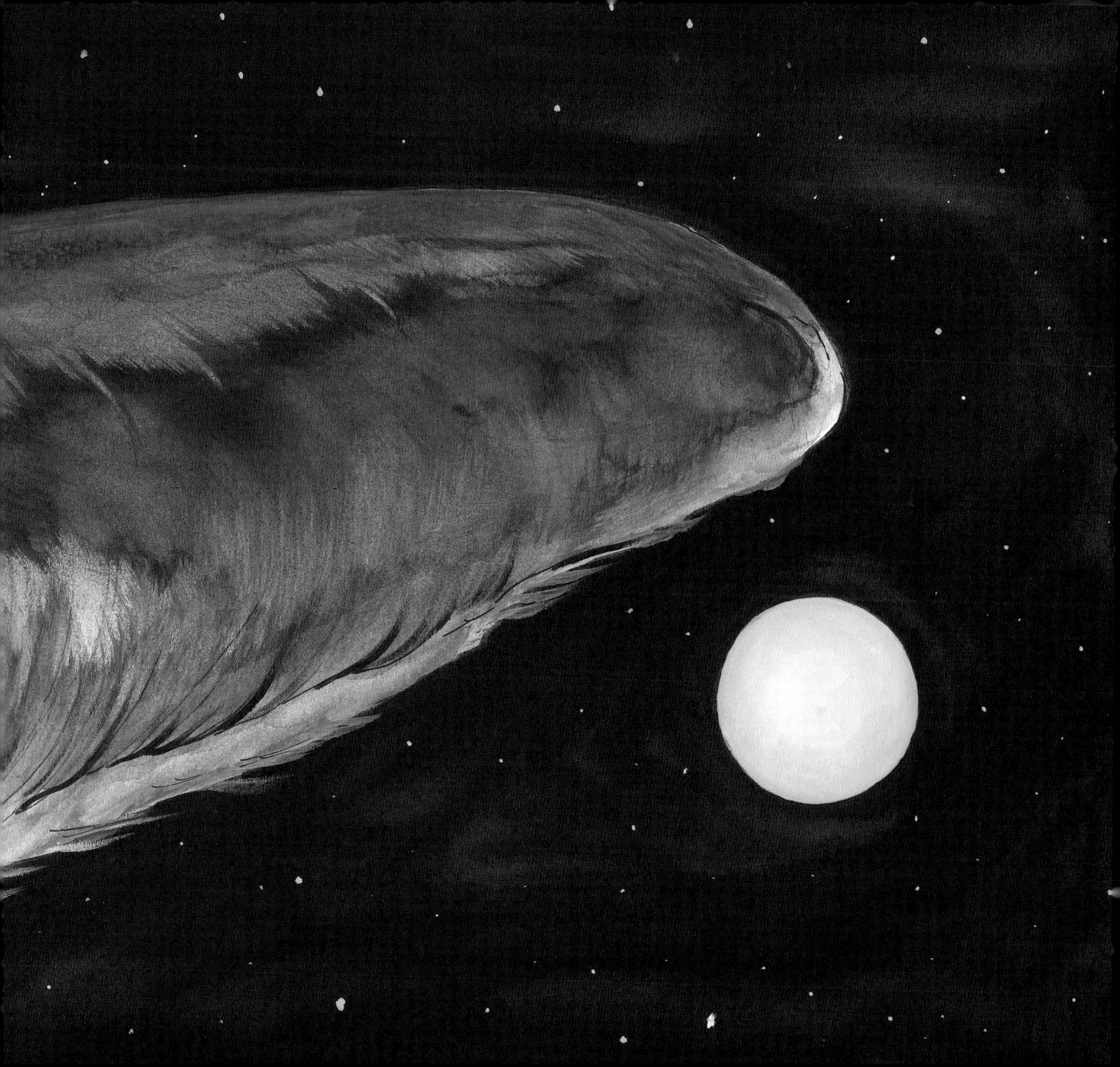

Lees ook de andere boeken van Nicole de Cock:

Het meisje en de olifant

De koetjes en de kraai

De gouden bal

Aan de overkant

Pik in, zei de rat (tekst Tjibbe Veldkamp)

ABCDas

Goede reis, gierzwaluw

Kijk voor meer informatie over de kinder- en jeugdboeken van de Gottmer Uitgevers Groep op **www.gottmer.nl**

Ontwerp: Anton Feddema

Postbus 317, 2000 AH Haarlem (e-mail: post@gottmer.nl)
Uitgeverij J.H. Gottmer / H.J.W. Becht BV is onderdeel van de Gottmer Uitgevers Groep BV
ISBN 978 90 257 4597 4
NUR 273

Druk: 10 9 8 7 6 5 4 3 2
Jaar: 2014 2013 2012 2011 2010